Le bon
Petit Déjeuner

riche en vitamines,
en minéraux et en fibres

Chantecler

Table des matières

Titre original: Das richtige Frühstück
© MCMLXXXVI by Falken-Verlag GmbH Niedernhausen/Ts, West-Germany.
Edition française:
© MCMLXXXIX by Editions Chantecler, division de la Zuidnederlandse Uitgeverij N.V., Aartselaar, Belgique. Tous droits réservés.
D-MCMLXXXIX-0001-50

Le petit déjeuner: le repas du matin

C' est bien connu, un petit déjeuner copieux est indispensable, car de la qualité du premier repas de la journée dépendent notre capacité de travail et notre bien-être.

Son rôle est en effet de nous fournir l'énergie nécessaire pour bien démarrer la journée et d'approvisionner notre organisme en substances nutritives et vitales.

Le petit déjeuner traditionnel toutefois — composé de petits pains de farine blanche, de confiture et d'oeufs — est pauvre en vitamines et en substances minérales indispensables aux fonctions de notre corps. Bien souvent, le petit déjeuner est trop riche en graisse, en cholestérol, en sel de cuisine et en aliments "raffinés" industriellement. Bref, notre petit déjeuner manque de substances saines!

Un petit déjeuner bien équilibré doit comporter des produits à base de farine complète, des fruits et des légumes frais, des produits laitiers, des jus et des noix et noisettes.

Conseils pour un petit déjeuner sain

- Choisissez de préférence des céréales, des fruits et des légumes cultivés biologiquement.
- Prenez des fruits secs non soufrés.
- N'utilisez le zeste des citrons et des oranges que si ces fruits n'ont pas été traités chimiquement.
- Restreignez fortement la consommation de sucre et de farine blanche.

Le müesli: le coup de fouet du matin

L e müesli contient vraiment tout ce dont notre organisme a besoin!
Le gruau de céréales complètes, les grains germés et les flocons constituent la base de ce plat de céréales traditionnel. L'ajout de fruits frais de saison, de fruits secs de qualité, de noix et noisettes, de produits laitiers riches en protéines et de substances sucrées naturelles comme le miel ou le sirop d'érable ouvrent un large éventail de préparations très saines.
Le müesli est une nourriture crue: elle conserve donc toutes ses propriétés. Plus de pertes de vitamines et de minéraux provoquées par la cuisson! Autre avantage: sa haute teneur en substances de lest active la digestion et débarrasse vraiment le corps de ses déchets.
Avec un peu de pratique, le müesli se prépare rapidement. Seuls les müeslis de grains germés doivent être préparés deux à trois jours à l'avance, pour que les céréales aient le temps de germer.

Le müesli à base de gruau

Müesli aux céréales

Ingrédients pour 1 personne:
2 c. à s. de grains d'orge, 2 c. à s. de grains de froment
6 c. à s. d'eau, 1 c. à c. de raisins secs
4 c. à s. de lait entier, 1 petite pomme
1 c. à c. de miel, 1 c. à s. de crème fraîche
1 pincée de cannelle, 1 c. à c. d'amandes

Préparation:
Broyez les céréales et laissez-les tremper dans l'eau pendant la nuit. Passez les raisins secs sous un jet d'eau froide puis recouvrez-les d'eau, juste à niveau. Laissez-les reposer jusqu'au lendemain.
Le matin, mélangez le gruau gonflé avec les raisins égouttés, le lait, la pomme lavée et râpée grossièrement, le miel et la crème fraîche. Assaisonnez avec la cannelle et saupoudrez d'amandes hachées.

Temps de préparation: 10 minutes
473 kcal/1979 kJ

Müesli aux dattes aux oranges

Ingrédients pour 1 personne:
4 c. à s. de grains d'orge
6 c. à s. d'eau
1 orange au vin
3 dattes séchées et dénoyautées
1 tasse de lait entier
1 c. à c. de sirop d'érable
1 c. à c. d'amandes râpées

Préparation:
Broyez grossièrement l'orge et faites-la tremper dans de l'eau pendant la nuit.
Pelez les oranges et coupez-les en petits morceaux, ainsi que les dattes, et écrasez le tout. Mélangez les ingrédients puis ajoutez le sirop d'érable. Saupoudrez d'amandes râpées.

Temps de préparation: 10 minutes
523 kcal/2189 kJ

Le müesli de grains germés

Le plus simple est de faire germer les céréales dans des appareils spéciaux vendus dans le commerce. Les grains sont placés dans des récipients empilables, que l'on arrose deux à trois fois par jour pour créer un climat favorable à la germination.
Temps minimal de germination: 2 à 3 jours. Vous pouvez toutefois aussi faire germer les grains dans un bocal.

Couvrez les grains de céréales d'eau froide et fermez le bocal avec de la gaze. Laissez reposer pendant la nuit. Videz l'eau le matin et passez sous un jet d'eau fraîche deux à trois fois par jour; laissez bien égoutter l'eau. Les germes doivent avoir suffisamment d'eau pour pousser mais ils ne doivent pas être dans l'eau.
Temps minimal de germination: 2 à 3 jours.

1. Recouvrir d'eau et laisser reposer une nuit.

2. Recouvrir le bocal de gaze.

3. Vider l'eau le matin et passer les grains plusieurs fois sous un jet d'eau froide.

4. Bien laisser égoutter et passer 2 à 3 fois par jour sous un jet d'eau froide.

Müesli de seigle germé

Ingrédients pour 1 personne:
4 c. à s. de seigle germé
1/2 petit oignon
40 g de fromage de brebis, 4 radis
1 c. à s. d'huile d'olive
1 pincée de sel aux herbes, 1 pincée de poivre
vinaigre de fruits selon vos goûts
1 c. à s. de ciboulette hachée

Préparation:
Lavez le seigle germé dans une passoire, laissez-le égoutter et mettez-le dans un plat. Coupez l'oignon pelé en petits morceaux, ainsi que le fromage de brebis. Lavez les radis et coupez-les en tranches.
Mélangez ces ingrédients avec les germes, ajoutez l'huile, le sel et le poivre, mélangez bien et assaisonnez d'un vinaigre de fruits, par exemple. Saupoudrez de ciboulette finement hachée.

Temps de préparation: 10 minutes
391 kcal/1636 kJ

Müesli aux baies

Ingrédients pour 1 personne:
4 c. à s. de froment germé
3 c. à s. de yaourt au lait entier
1 c. à c. de miel (un peu plus pour les baies acides)
1 pincée de vanille en poudre
150 g de baies fraîches ou surgelées (ex.: framboises, fraises, groseilles ou un mélange de baies)
1 c. à s. d'amandes hachées

Préparation:
Passez le froment germé à l'eau claire, placez-le dans une assiette profonde ou un plat et mélangez-le avec le yaourt et le miel. Ajoutez la vanille et les baies, éventuellement coupées en petits morceaux ou décongelées. Saupoudrez d'amandes hachées.

Temps de préparation: 10 minutes
357 kcal/1494 kJ

Le müesli à base de flocons

Müesli au chocolat

Ingrédients pour 1 personne:
4 c. à s. de flocons d'orge
1 c. à s. de raisins secs
1 c. à s. de noisettes hachées

Pour la compote de pommes:
2 petites pommes, 2 c. à c. de miel

Pour le chocolat:
1 tasse de lait entier, 1 c. à c. rase de cacao en poudre, 1 c. à c. de miel
1 c. à s. de crème fouettée
1 pincée de vanille en poudre

Préparation:
Mélangez les flocons, les raisins secs et les noisettes. Lavez les pommes, épluchez-les, coupez-les en quartiers et enlevez les trognons. Faites étuver dans un peu d'eau et ajoutez le miel. Versez ensuite les morceaux de pommes sur les flocons.
Prélevez deux cuillères à soupe de lait et diluez-y la poudre de cacao. Faites bouillir le reste du lait et mélangez-y le cacao; sucrez avec le miel. Versez le chocolat chaud autour du müesli, décorez avec la crème fraîche et saupoudrez de vanille.

Temps de préparation: 15 minutes
447 kcal/1871 kJ

Müesli aux carottes et aux pommes

Ingrédients pour 1 personne:
4 c. à s. de flocons de blé, 1 petite carotte
1 petite pomme, 2 c. à s. de fromage blanc maigre
1 c. à s. de crème fraîche, 3 c. à s. de lait
1 c. à c. de miel, 1 c. à c. de pignons
jus de citron selon vos goûts

Préparation:
Versez les flocons de blé dans une assiette. Nettoyez les carottes, brossez-les sous un jet d'eau froide. Lavez la pomme et enlevez le trognon. Râpez finement la carotte et la pomme et mélangez-les avec les flocons. Ajoutez le fromage blanc, la crème fraîche, le lait et le miel et mélangez le tout avec une fourchette. Ajoutez le jus de citron et saupoudrez le müesli de pignes.

Temps de préparation: 10 minutes
435 kcal/1820 kJ

Spécialités

Müesli exotique

Ingrédients pour 1 personne:
4 c. à s. de flocons d'avoine, 1 petit kiwi
1 tranche d'ananas, 1 tranche de papaye
2 c. à s. de fromage frais granuleux
1 tasse de yaourt au lait entier
jus de citron selon vos goûts
1 pincée de vanille, 1 c. à s. de noix de cajou, 1 c. à s. de sirop d'érable

Préparation:
Pelez le kiwi et coupez-le en rondelles. Pelez la tranche d'ananas et coupez-la en
morceaux après avoir retiré la partie centrale dure. Enlevez la peau et les pépins de la
tranche de papaye et coupez-la en petits
morceaux.
Mélangez les fruits aux flocons d'avoine et
ajoutez le fromage frais et le yaourt. Versez
le jus de citron et saupoudrez de vanille.
Mélangez-y les noix de cajou et le sirop
d'érable avant de servir.

Temps de préparation: 10 minutes
372 kcal/1556 kJ

Müesli à l'avoine

Ingrédients pour 1 personne:
3 c. à s. de grains d'avoine, 6 c. à s. de lait
1/2 banane, 1/2 poire
1 pincée de gingembre en poudre
jus de citron selon vos goûts
1 tasse de lait entier
1 c. à c. de noisettes hachées

Préparation:
Moulez finement les grains d'avoine et
mélangez-les avec le lait dans un plat.
Ajoutez la banane coupée en petits morceaux et réduisez le tout en bouillie avec
une fourchette. Lavez la poire, enlevez le
trognon, coupez le fruit en petits morceaux,
que vous ajouterez à la bouillie.
Assaisonnez d'une pincée de gingembre,
versez le jus de citron et mélangez bien.
Placez le müesli dans une assiette creuse,
versez le lait par-dessus et saupoudrez
avec les noisettes.

Temps de préparation: 10 minutes
272 kcal/1138 kJ

Porridges et bouillies

Porridge

Ingrédients pour 1 personne:
1/4 l de lait entier
4 c. à s. de flocons d'avoine
1 pincée de sel marin
1 c. à c. de miel
1 c. à c. de beurre
1 pincée de cannelle

Préparation:
Versez le lait dans un plat et mélangez-y les flocons d'avoine. Ajoutez le sel et portez la bouillie à ébullition en remuant continuellement. Laissez encore cuire à feu doux pendant une quinzaine de minutes. Remuez de temps à autre.
Sucrez le porridge avec le miel, versez-le dans une assiette et servez avec une noix de beurre et la cannelle.

Temps de préparation: 10 minutes
375 kcal/1569 kJ

Bouillie de gruau aux abricots

Ingrédients pour 1 personne:
2 c. à s. de grains de blé
3 c. à s. d'eau
3 abricots secs
de l'eau pour faire tremper
1/8 l de lait entier
le zeste d'un quart de citron non traité
1 pincée de vanille en poudre
1/2 c. à c. de miel
1/2 blanc d'oeuf
1 c. à c. de noix de cajou hachées

Préparation:
Ecrasez grossièrement le blé et laissez-le tremper dans l'eau pendant la nuit. Lavez les abricots et faites-les également tremper dans un peu d'eau pendant la nuit.
Le matin, versez le gruau et le lait dans une casserole et portez à ébullition en remuant constamment. Ajoutez un morceau de zeste de citron et laissez cuire la bouillie 5 minutes environ à feu doux, en remuant souvent, jusqu'à ce qu'elle épaississe. Otez-la du feu.
Mélangez-y la vanille, le miel et les abricots coupés en petits morceaux. Incorporez le blanc d'oeuf battu en neige à la bouillie chaude et garnissez avec les noix de cajou hachées grossièrement.

Temps de préparation: 15 minutes
278 kcal/1163 kJ

(photo page 11)

Bouillie de semoule aux raisins secs

Ingrédients pour 1 personne:
1/8 l de lait entier
1 c. à s. de semoule de blé complet
1 c. à s. de raisins secs
le zeste d'un quart de citron non traité
1/2 c. à s. d'amandes broyées très finement
1 1/2 c. à c. de sirop d'érable
1 c. à c. de crème fouettée

Préparation:
Versez le lait dans un plat. Mélangez-y la semoule au moyen d'un fouet. Ajoutez les raisins secs. Portez le lait à ébullition puis laissez cuire à feu doux en remuant constamment, jusqu'à ce que la bouillie épaississe. Incorporez le zeste de citron râpé, les amandes et une cuillère à café de sirop d'érable.
Versez la bouillie dans une assiette, décorez avec la crème fouettée et ajoutez 1/2 cuillère à café de sirop d'érable.

Temps de préparation: 15 minutes
222 kcal/929 kJ

En haut: bouillie de gruau aux abricots (recette p. 10); en bas: bouillie de millet (recette p. 11).

Bouillie de millet

Ingrédients pour 1 personne:
35 g de millet
150 ml de lait entier
le zeste d'un quart de citron non traité
1 c. à s. de fromage blanc à la crème fraîche
1/2 c. à c. de miel
1/2 pomme

Préparation:
Lavez le millet plusieurs fois à l'eau froide et versez-le dans une casserole. Portez à ébullition avec le lait et le zeste de citron. Laissez cuire à feu doux pendant 20 minutes. Mélangez-y le fromage blanc, le miel et la pomme, lavée et coupée en morceaux mais non épluchée, et servez.

Temps de préparation: 10 minutes
352 kcal/1473 kJ

Le pain et la pâtisserie: une base solide

Depuis des millénaires, le pain est l'aliment de base par excellence. Au départ, le pain d'autrefois était une simple galette, cuite sur des pierres chaudes. Avec le temps, la fabrication du pain est devenue un artisanat, les formes et les procédés ont évolué. Les ingrédients principaux sont cependant restés les mêmes: de la farine, de l'eau et du sel, puis, comme ferment, du levain ou de la levure.

Au début de l'industrialisation, les farines finement moulues ont remplacé la farine complète classique. Celle-ci, plus que la farine blanche, contient cependant de très nombreux éléments précieux pour l'organisme:

- des vitamines, surtout des vitamines B1, B2 et de la niacine,
- des substances minérales, surtout du fer, du phosphore, du calcium et du magnésium,
- des substances de lest.

Un bon approvisionnement en vitamines, et en substances minérales et de lest est capital pour la santé et le bon fonctionnement de notre corps.

C'est pourquoi le pain et autres produits à base de farine complète doivent être présents sur la table du petit déjeuner. D'ailleurs, ils sont aussi délicieux.

Le pain complet

Pain complet au froment

Ingrédients pour 1 pain:
25 g de levure
460 ml d'eau tiède
1 c. à c. de sel marin
600 g de froment finement moulu
1 c. à c. de coriandre moulue
du beurre pour le moule

Préparation:
Emiettez la levure dans un plat, ajoutez l'eau et le sel. Faites dissoudre soigneusement la levure et le sel dans l'eau. Ajoutez la farine et la coriandre et pétrissez bien la pâte.
Placez la pâte à pain dans un moule à cake graissé, lissez-la avec une cuillère humide et incisez la surface en forme de losanges au moyen d'un couteau bien aiguisé.
Couvrez d'un linge et laissez monter envi-ron 30 minutes dans un endroit chaud, jusqu'à ce que de petites bulles apparaissent à la surface.
Mettez le pain au four légèrement préchauffé et laissez cuire 60 minutes à 200°.
Après la cuisson, démoulez immédiatement et laissez refroidir 2 à 3 heures sur une grille.

Temps de préparation: 15 minutes
Pour 100 g: 195 kcal/816 kJ

Variantes

- Remplacez 100 g de farine de froment par 100 g de farine de seigle.
- Ajoutez 50 g de noisettes ou d'amandes hachées à la pâte.
- Saupoudrez le moule graissé de graines de sésame ou de tournesol.
- Mélangez à la pâte 2 cuillères à soupe d'herbes fraîches hachées.
- Ajoutez 200 g d'oignons crus hachés.

14

Pain mixte au levain

Ingrédients pour 1 pain:
Première phase:
1 c. à s. de levain
200 g d'orge finement moulue
200 g de seigle finement moulu
400 ml d'eau

Deuxième phase:
250 g de seigle finement moulu
200 g de froment finement moulu
1 c. à s. de sel marin, 100 ml d'eau
du beurre et de la farine pour le moule
de la farine pour saupoudrer

Préparation:
Le soir, mélangez les ingrédients de première préparation pour obtenir une pâte lé-
gère. Laissez reposer dans un endroit
chaud. Le matin, prélevez une cuillère à
soupe de levain et conservez-la au frigo
dans un bocal pour la prochaine fois.
Dans une deuxième phase, mélangez la farine, le sel et l'eau à la première pâte et pétrissez énergiquement à la main ou au ro-
bot culinaire. Recouvrez d'un linge et laissez monter jusqu'à midi.
Pétrissez ensuite encore une fois la pâte.
Graissez un moule rond, saupoudrez-le de
farine et placez-y la pâte à pain. Lissez la
surface, saupoudrez-la de farine et incisez-
la. Laissez reposer 2 à 3 heures.
Faites cuire le pain à 200° pendant une
heure, démoulez et laissez refroidir au
moins deux heures sur une grille.

Temps de préparation: 30 minutes
Pour 100 g: 216 kcal/904 kJ

Pain au sarrasin et aux pommes de terre

Ingrédients pour un pain:
400 g de pommes de terre
40 g de levure
260 ml d'eau tiède
1 c. à c. de miel
2 c. à c. de sel marin
450 g de froment finement moulu
200 g de sarrasin finement moulu
2 oeufs, 50 g de beurre ramolli
beurre et farine pour le plat en terre cuite

Préparation:
Faites tremper un plat en terre cuite dans
de l'eau pendant 15 minutes.
Lavez les pommes de terres, brossez-les et
faites-les cuire avec la pelure. Emiettez la
levure dans un plat et faites-la dissoudre
dans l'eau. Ajoutez le miel, le sel et la farine,
ainsi que les oeufs et le beurre et travaillez
le tout pour obtenir une pâte bien ferme.
Laissez-la monter pendant 20 minutes.
Pelez les pommes de terre, écrasez-les
bien, laissez refroidir puis incorporez-les à
la pâte. Séchez le plat en terre cuite,
graissez-le avec du beurre et saupoudrez
de farine. Placez la pâte dedans, lissez la
surface et incisez-la avec un couteau. Fermez le plat et mettez-le au four non préchauffé. Faites cuire 2 heures à 200°.
Démoulez le pain, laissez-le refroidir sur
une grille et attendez le lendemain avant de
le couper!

Temps de préparation: 25 minutes
Pour 100 g: 220 kcal/920 kJ

Petits pains et pâtisserie

Roue de petits pains

Ingrédients pour 16 petits pains:
30 g de levure
360 ml d'eau tiède
1 c. à c. de sel marin
500 g de froment finement moulu
30 g de son de froment
graines de sésame, cumin et pavot
beurre et farine pour la plaque

Préparation:
Faites dissoudre la levure dans l'eau. Ajoutez le sel, la farine et le son et pétrissez la pâte 10 minutes. Donnez-lui la forme d'un rouleau, que vous couperez en huit, puis coupez chaque morceau en deux dans le sens de la longueur.
Donnez à ces morceaux la forme de petits pains et pressez leur partie supérieure dans le sésame, le cumin ou les graines de pavot.
Graissez une plaque de cuisson et saupoudrez-la de farine. Disposez-y les petits pains de manière à former une roue. Recouvrez d'un linge et laissez monter environ 20 minutes. Placez un petit récipient résistant à la chaleur et rempli d'eau chaude dans le bas du four.
Faites cuire les petits pains 20 minutes à 180°. Laissez refroidir sur une grille.

Temps de préparation: 25 minutes
Par pièce: 125 kcal/523 kJ

Variante

Mélangez à la pâte 100 g de noisettes hachées ou 2 cuillères à soupe de linettes.

Petits pains au babeurre

Ingrédients pour 12 petits pains:
100 g de semoule de froment
300 g de froment finement moulu
3 c. à c. rases de backing powder
1 c. à c. de sel marin
50 g de beurre ramolli
230 ml de babeurre
beurre et farine pour la plaque
de l'eau pour badigeonner

Préparation:
Mélangez la semoule avec la farine, la levure en poudre et le sel. Ajoutez le beurre et le babeurre et pétrissez la pâte pendant 5 à 10 minutes.
Formez 12 petits pains allongés, que vous disposerez sur une plaque de cuisson graissée et saupoudrée d'un peu de farine complète.
Incisez la surface dans le sens de la longueur et badigeonnez avec de l'eau.
Placez les petits pains au four non préchauffé et faites-les cuire environ 20 minutes à 180°.
Laissez les petits pains au babeurre refroidir sur une grille.

Temps de préparation: 20 minutes
Par pièce: 148 kcal/629 kJ

Bretzels aux raisins secs

Ingrédients pour 12 bretzels:
25 g de levure
200 ml de lait entier tiède
1 pincée de sel marin
500 g de froment finement moulu
100 g de beurre
1 oeuf
150 g de raisins secs
beurre et farine pour la plaque
1 jaune d'oeuf et du lait pour badigeonner

Préparation:
Faites dissoudre la levure dans le lait et
ajoutez le sel. Incorporez la farine et pétrissez avec le reste des ingrédients. Couvrez
et laissez monter 20 minutes. Pétrissez encore quelque peu la pâte et coupez-la en
12 morceaux. Faites-en des rouleaux, un
peu plus épais au centre, auxquels vous
donnerez la forme de bretzels. Placez
ceux-ci sur une plaque de cuisson graissée
et saupoudrée de farine, recouvrez d'un linge et laissez monter 20 minutes.
Mettez au four préchauffé et faites cuire 20
minutes à 180°. Mélangez le jaune d'oeuf
avec un peu de lait et badigeonnez-en les
bretzels un peu avant la fin de la cuisson.

Temps de préparation: 25 minutes
Par pièce: 191 kcal/799 kJ

Galettes croquantes au fromage

Ingrédients pour une plaque du four:
200 g d'orge finement moulu
150 g de froment finement moulu
1/2 c. à c. de sel marin
1 c. à s. d'huile
160 ml d'eau
100 g de gouda
1 pincée de poivre de Cayenne
1/4 de c. à c. de cumin moulu
beurre pour la plaque

Préparation:
Mélangez la farine avec le sel. Ajoutez l'huile, l'eau et le fromage râpé grossièrement.
Assaisonnez avec le poivre de Cayenne et
le cumin. Pétrissez bien la pâte et laissez reposer une demi-heure.
Graissez une plaque de cuisson avec du
beurre et étendez dessus une couche très
fine de pâte au moyen d'une cuillère à soupe mouillée.
Marquez 20 carrés sur la pâte avec un couteau pour pouvoir diviser plus facilement la
galette après cuisson.
Faites cuire 20 minutes à 200°. Coupez la
galette en morceaux aux endroits marqués
et laissez refroidir.

Temps de préparation: 20 minutes
Par pièce: 131 kcal/548 kJ

Gaufres à la farine complète

Gaufres à la noix de coco

Ingrédients pour 10 gaufres:
100 g de beurre, 3 œufs
3 c. à s. de miel, 200 g de farine
1 c. à c. de backing powder
80 g de flocons de coco
le zeste d'une demi-orange non traitée
250 ml de lait entier
beurre pour le gaufrier

Préparation:
Battez le beurre avec le miel et les jaunes d'oeufs pour obtenir une mousse. Ajoutez la farine mélangée à la levure en poudre, les flocons de coco et le zeste d'orange râpé. Versez le lait par dessus et battez les ingrédients pour obtenir une pâte dense. Laissez reposer une demi-heure.
Battez les blancs d'oeufs en neige et incorporez-les à la pâte. Badigeonnez légèrement le gaufrier chaud avec du beurre et faites dorer les gaufres 3 à 4 minutes.

Temps de préparation: 15 minutes
Par pièce: 273 kcal/1142 kJ

Gaufres à la vanille

Ingrédients pour 6 à 8 gaufres:
60 g de beurre
2 c. à s. de miel
3 œufs
60 g de fromage blanc maigre
1 c. à c. de backing powder
150 g de froment finement moulu
50 g de sarrasin finement moulu
3/4 de c. à c. de vanille en poudre
100 ml de lait entier
beurre pour le gaufrier

Préparation:
Battez le beurre avec le miel et les oeufs. Ajoutez le fromage blanc, la farine mélangée à la levure en poudre, la vanille et le lait. Mélangez bien. Laissez monter la pâte une demi-heure.
Faites dorer les gaufres au gaufrier et laissez-les refroidir sur une grille.

Temps de préparation: 15 minutes
Par pièce: 210 kcal/879 kJ

Pour tartiner votre pain...

En bas: crème d'avocats; au centre, à gauche: fromage aux noix; en haut: mousse de noisettes; au centre à droite: graisse de coco aux pommes et aux oignons (p. 19).

U n bon pain mérite d'être tartiné avec des produits sains!
Des produits savoureux à base de graisses et d'huiles végétales, de fromage ou d'avocats et sucrés avec du miel, des noix et des fruits apportent au petit déjeuner un complément de vitamines et de substances minérales, et permettent de varier agréablement la nourriture. Ces produits "maison"
accompagnent également très bien les petits pains destinés aux pauses.
Toutes les préparations à étendre sur le pain doivent se faire un peu avant le petit déjeuner ou la veille au soir. Ainsi, les composants fragiles comme les vitamines, les enzymes et les acides gras insaturés se conservent de façon optimale. Et bien entendu, le goût n'en sera que meilleur!

Crème d'avocat

Ingrédients:
1 avocat bien mûr
1 c. à c. de mayonnaise
1 oeuf cuit dur
quelques gouttes de jus de citron
1/4 de c. à c. de sel marin
1 pincée de poivre fraîchement moulu

Préparation:
Coupez l'avocat en deux dans le sens de la longueur et enlevez le noyau.
Retirez la chair du fruit au moyen d'une cuillère à soupe et placez-la dans un récipient, avec la mayonnaise, l'oeuf haché finement, quelques gouttes de jus de citron, le sel et le poivre.
Mélangez tous les ingrédients au moyen d'un batteur manuel pour obtenir une crème lisse et servez immédiatement.

Temps de prépararion: 15 minutes
Au total: 621 kcal/2599 kJ
1 c. à c. rase: 10 kcal/42 kJ

Fromage aux noix

Ingrédients:
30 g de noix (sans les coques)
150 g de cheddar
125 g de crème fraîche
2 c. à s. de vin blanc sec
1 gousse d'ail
1 pincée de sel marin
2 pincées de trigonelle
1 pincée de poivre

Préparation:
Hachez finement les noix et râpez finement le fromage. Versez la crème fraîche dans un plat et mélangez avec le vin blanc et la gousse d'ail écrasée.
Ajoutez le fromage et les noix, assaisonnez avec le sel, la trigonelle et le poivre. Mélangez soigneusement tous les ingrédients au moyen d'une fourchette. Conservez au frigo.

Temps de préparation: 15 minutes
Au total: 1217 kcal/5094 kJ
1 c. à c. rase: 18 kcal/75 kJ

Graisse de coco aux pommes et aux oignons

Ingrédients:
1 pomme de taille moyenne
200 g d'oignons
de l'eau pour étuver
100 g de graisse de coco
2 c. à s. de sarrasin cuit
80 g d'huile de soja

Préparation:
Lavez la pomme, pelez-la, coupez-la en morceaux. Pelez les oignons et coupez-les en fines rondelles.
Faites étuver les deux ingrédients dans un peu d'eau. Videz ensuite l'eau de cuisson. Faites fondre la graisse de coco à feu doux et retirez-la immédiatement du feu.
Versez les morceaux de pomme, les rondelles d'oignon et le sarrasin cuit (1 portion de sarrasin pour 3 portions d'eau) dans la graisse et laissez cuire 15 minutes à feu doux. Ajoutez l'huile de soja, laissez cuire quelques instants.
Versez le tout dans un plat en grès et laissez refroidir. Conservez au frigo.

Temps de préparation: 15 minutes
Au total: 1788 kcal/7484 kJ
1 c. à c. rase: 17 kcal/71 kJ

Mousse de noisettes

Ingrédients:
150 g de noisettes (sans les coques)
70 g de miel
5 c. à s. de café filtré
1 c. à c. de cacao en poudre
1/2 c. à c. de vanille en poudre

Préparation:
Broyez finement les noisettes.
Mélangez le miel avec le café, la poudre de cacao et la vanille. Ajoutez les noisettes broyées et mélangez bien à la fourchette. Conservez ce mélange au frigo.

Temps de préparation: 15 minutes
Au total: 1251 kcal/5236 kJ
1 c. à c. rase: 23 kcal/96 kJ

Marmelade fraîche de fraises

Ingrédients:
250 g de fraises fraîches ou congelées
80 g de sucre de fruits liquide (en vente dans les magasins de produits diététiques)
1 c. à c. de liant végétal (en vente dans les magasins de produits diététiques)

Préparation:
Lavez les fraises et enlevez les feuilles; laissez décongeler les fruits s'ils sont surgelés.
Réduisez les fruits en purée au mixer, ajoutez le sucre de fruits et laissez reposer 5 minutes.
Incorporez le liant, battez encore une fois la confiture, puis versez-la dans un petit récipient ou bocal.
Consommez aussi rapidement que possible cette marmelade non cuite.

Temps de préparation: 15 minutes
Au total: 348 kcal/1256 kJ
1 c. à c. rase: 10 kcal/42 kJ

Marmelade de prunes préparée à froid

Ingrédients:
200 g de pruneaux dénoyautés
de l'eau pour faire tremper
1 pincée de cannelle en poudre

Préparation:
Lavez les pruneaux, laissez-les tremper une nuit dans un peu d'eau.
Le matin, jetez le reste de l'eau et faites égoutter les pruneaux dans une passoire.
Coupez les fruits en petits morceaux et passez-les au mixer.
Assaisonnez avec la cannelle et mélangez bien.
Conservez au frais dans un bocal et consommez assez rapidement.

Temps de préparation: 10 minutes
Au total: 582 kcal/2436 kJ
1 c. à c. rase: 18 kcal/76 kJ

Les produits laitiers

Fromage blanc au miel et aux amandes

Ingrédients pour 4 personnes:
400 g de fromage blanc maigre
3/4 de tasse de lait entier
2 c. à c. de miel
le zeste d'un demi-citron non traité
2 c. à s. d'amandes
4 c. à s. de crème fouettée
1 pincée de vanille en poudre

Préparation:
Mélangez le fromage blanc avec le lait, sucrez avec le miel et ajoutez le zeste de citron râpé.
Broyez les amandes et mélangez-les au fromage blanc.
Ajoutez la crème fouettée et servez saupou-
dré de vanille.

Temps de préparation: 15 minutes
Par personne: 247 kcal/1034 kJ

Fromage blanc à l'ail

Ingrédients pour 4 personnes:
150 g de concombre
1/2 c. à c. de sel marin
200 g de fromage blanc maigre
100 g de yaourt au lait entier
2 ou 3 gousses d'ail
2 pincées de poivre blanc

Préparation:
Pelez le concombre, râpez-le très finement
et salez-le. Versez le concombre, le yaourt
et le fromage blanc dans un récipient et
fouettez pour obtenir un mélange crémeux.
Ajoutez les gousses d'ail écrasées et le poivre fraîchement moulu.
Laissez reposer le fromage blanc 1/2 heure
au frigo avant de servir.

Temps de préparation: 10 minutes
Par personne: 60 kcal/251 kJ

Yaourt aux fruits

Ingrédients pour 4 personnes:
300 g de yaourt maigre
2 nectarines
2 poires
4 c. à c. de crème fouettée
4 c. à c. de sirop d'érable

Préparation:
Répartissez le yaourt dans 4 coupes.
Lavez les fruits, enlevez les noyaux ou les trognons, coupez les fruits en petits morceaux et mélangez-les.
Disposez les morceaux de fruits sur le yaourt, décorez avec la crème fouettée et sucrez avec le sirop d'érable.

Temps de préparation: 10 minutes
Par personne: 152 kcal/636 kJ

Fromage blanc au citron et à l'orange

Ingrédients pour 4 personnes:
300 g de fromage blanc maigre
le zeste et le jus d'un demi-citron
le zeste d'une demi-orange
le jus d'une orange
3 c. à c. de miel
4 c. à s. de crème fouettée

Préparation:
Versez le fromage blanc dans un plat. Ajoutez les zestes râpés du citron et de l'orange. Versez le jus des fruits par dessus et sucrez avec le miel.
Remuez bien tous les ingrédients pour obtenir un mélange crémeux.
Ajoutez la crème fraîche.

Temps de préparation: 15 minutes
Par personne: 135 kcal/565 kJ

Boisson au babeurre

Ingrédients pour 4 personnes:
400 ml de babeurre
4 pamplemousses
miel selon vos goûts
2 c. à s. de crème fraîche

Préparation:
Versez le babeurre bien froid dans un récipient.
Pressez les pamplemousses et ajoutez le jus, le miel et la crème au babeurre.
Fouettez la boisson pour qu'elle mousse et servez immédiatement.

Temps de préparation: 5 minutes
Par personne: 163 kcal/682 kJ

Lait suédois aux fruits

Ingrédients pour 4 personnes:
300 ml de lait suédois
300 ml de jus de fruits divers
4 c. à s. de baies diverses, par exemple des groseilles, des framboises, des fraises, des myrtilles...

Préparation:
Mélangez le lait suédois avec le jus de fruits. Versez dans 4 verres une cuillère à soupe de baies fraîches. Versez le lait par dessus et servez avec des cuillères.

Temps de préparation: 5 minutes
Par personne: 85 kcal/356 kJ

Lait au gingembre

Ingrédients pour 4 personnes:
6 morceaux de gingembre confit
1 c. à c. de sirop d'érable
650 ml de lait entier

Préparation:
Passez au mixer le gingembre, le sirop d'érable et 1 tasse de lait entier.
Ajoutez le reste du lait et battez le mélange pour qu'il mousse.
Servez très froid.

Temps de préparation: 5 minutes
Par personne: 131 kcal/548 kJ

Kéfir aux tomates

Ingrédients pour 4 personnes:
400 ml de kéfir
400 ml de jus de tomates
le jus d'un demi-citron
1/4 de c. à c. de sel marin
quelques gouttes de Tabasco
1/2 c. à c. d'origan
1/2 c. à c. de poivre à l'ail

Préparation:
Passez le kéfir au mixer avec les tomates et le jus de citron pour obtenir un mélange mousseux. Ajoutez le sel et les épices, mélangez bien et servez frais.

Temps de préparation: 5 minutes
Par personne: 81 kcal/339 kJ

Les salades

Salade au fromage suisse

Ingrédients pour 4 personnes:
100 g d'emmenthal
100 g de chou blanc
1 oignon

Pour la sauce:
3 c. à s. de vinaigre de fruits
3 c. à s. d'huile
2 pincées de poivre blanc
1 pincée de cumin selon vos goûts

Préparation:
Râpez grossièrement l'emmenthal.
Enlevez les feuilles extérieures du chou blanc, coupez un morceau de 100 g et lavez-le. Hachez finement le chou, coupez l'oignon en rondelles et ajoutez ces deux ingrédients au fromage.
Mélangez l'huile et le vinaigre et assaisonnez.
Versez la sauce sur la salade de fromage et mélangez bien.

Temps de préparation: 15 minutes
Par personne: 156 kcal/653 kJ

Salade de pommes de terre bigarrée

Ingrédients pour 4 personnes:
600 g de pommes de terre
4 petites betteraves rouges
4 cornichons au vinaigre
2 oignons

Pour la sauce:
2 c. à s. de vinaigre de fruits
2 c. à s. d'huile
1/4 de c. à c. de sel marin
2 pincées de poivre
2 pincées de trigonelle

Préparation:
Brossez les pommes de terre et les betteraves rouges sous l'eau froide et faites-les cuire 25 minutes dans leur pelure. Epluchez-les ensuite.
Coupez les pommes de terre et les betteraves rouges en tranches. Coupez les cornichons en petits morceaux. Pelez les oignons, divisez-les en deux et coupez-les en fines rondelles.
Préparez une sauce avec l'huile, le vinaigre et les épices, versez-la sur les autres ingrédients et mélangez le tout.

Temps de préparation: 20 minutes
Par personne: 191 kcal/799 kJ

Salade de pousses de soja

Ingrédients pour 4 personnes:
4 c. à s. de soja vert

Pour la sauce:
2 c. à s. d'huile
2 c. à s. de vinaigre
1/2 oignon
1 pincée de sel marin
1 pincée de poivre

Préparation:
Faites germer le soja dans un appareil prévu à cet effet ou dans une assiette. Vous trouverez plus de détails à ce sujet dans le chapitre intitulé "Le müesli: le coup de fouet du matin" (cf. p. 4).
Versez les pousses de soja dans une passoire, passez-les à l'eau froide et laissez égoutter.
Ajoutez la sauce préparée avec l'huile, le vinaigre, l'oignon émincé, le sel marin et le poivre.

Temps de préparation: 5 minutes
Par personne: 59 kcal/247 kJ

Salade de fruits exotiques

Ingrédients pour 4 personnes:
2 tranches de papaye
1 tranche d'ananas frais
100 g de raisins
1 banane
1 kiwi
4 figues fraîches
2 c. à s. de noix hachées

Pour la sauce:
le jus d'une demi-orange
4 c. à s. de crème fraîche

Préparation:
Enlevez la peau et les pépins des tranches de papaye, coupez la chair du fruit en morceaux. Enlevez l'écorce de la tranche d'ananas, retirez la partie centrale dure, coupez la chair en petits morceaux. Lavez soigneusement les raisins, coupez-les en deux et enlevez les pépins. Pelez la banane et le kiwi et coupez-les en rondelles. Lavez les figues, enlevez les queues et coupez les fruits en quartiers.
Mélangez les noix hachées aux autres fruits.
Versez le jus d'orange fraîchement pressé et la crème fraîche sur la salade et mélangez bien le tout.
Laissez reposer une demi-heure avant de servir.

Temps de préparation: 20 minutes
Par personne: 174 kcal/728 kJ

Toasts pour un petit déjeuner copieux

Toast aux noix

Ingrédients pour 1 toast:
1 tranche de pain complet
1 c. à c. de beurre
1 pomme de terre moyenne cuite en robe de chambre
1 pincée de sel aux herbes
1 pincée de trigonelle
6 moitiés de noix
1 tranche d'emmenthal

Préparation:
Enduisez les toasts avec le beurre, garnissez avec des tranches de pomme de terre, salez et saupoudrez de trigonelle.
Placez par dessus la tranche de fromage et répartissez sur le toast les moitiés de noix.
Mettez ou four préchauffé et faites cuire à 200° jusqu'à ce que le fromage fonde.

Temps de préparation: 5 minutes
440 kcal/1842 kJ

Toast aux champignons de Paris

Ingrédients pour 1 toast:
1 tranche de pain complet
1 c. à c. de beurre
3 ou 4 champignons de Paris frais
1 pincée de sel marin
1 pincée de poivre à l'ail
1 tranche de fromage
1 c. à c. de persil haché

Préparation:
Beurrez le toast et garnissez-le de tranches de champignons. Saupoudrez de sel et de poivre et placez le fromage par-dessus.
Faites griler le toast à 200° au four préchauffé ou au gril, jusqu'à ce que le fromage fonde. Saupoudrez de persil.

Temps de préparation: 5 minutes
301 kcal/1260 kJ

Toast "Du soleil sur la neige"

Ingrédients pour 1 toast:
1 tranche de pain complet
1 c. à c. de beurre
1 oeuf
1 pincée de sel marin
1 c. à c. de ciboulette hachée

Préparation:
Beurrez le toast.
Cassez l'oeuf et séparez le jaune du blanc.
Placez le blanc battu en neige dans une poche à douille et décorez les bords du toast en laissant une place au milieu. Déposez-y le jaune avec précaution.
Faites cuire le toast 10 minutes au four à feu moyen, salez, saupoudrez de ciboulette et servez.

Temps de préparation: 10 minutes
264 kcal/1105 kJ

Toast aux bananes

Ingrédients pour 1 toast:
1 tranche de pain complet
1 c. à c. de beurre
1/2 banane
1 c. à c. de chutney à la mangue
1 tranche de gouda
1 pincée de curry

Préparation:
Etalez le beurre sur le toast.
Coupez la banane en rondelles, que vous disposerez sur le toast.
Nappez de chutney à la mangue, placez le gouda par dessus et saupoudrez de curry.
Faites cuire à 200° au four préchauffé ou au gril, jusqu'à ce que le fromage fonde.

Temps de préparation: 5 minutes
361 kcal/1511 kJ

Les boissons

Café aromatisé

Ingrédients pour 2 personnes:
2 tasses de café décaféiné
1/2 tige de cannelle
1 clou de girofle
1/3 de gousse de vanille
2 c. à c. de miel
2 c. à s. de crème fouettée

Préparation:
Faites chauffer le café 10 minutes à feu doux dans une petite casserole avec la cannelle, le clou de girofle et la gousse de vanille.
Enlevez les épices, sucrez avec le miel et placez sur chaque tasse une cuillère à soupe de crème fraîche.

Temps de préparation: 5 minutes
Par personne: 93 kcal/389 kJ

Cacao ''extra''

Ingrédients pour 1 personne:
200 ml de lait entier
1 c. à c. de cacao en poudre
1 c. à c. de miel
1 pincée de vanille en poudre
1 c. à c. de crème fouettée
1 c. à c. de chocolat râpé

Préparation:
Diluez la poudre de cacao dans 3 cuillères à soupe de lait.
Portez le reste du lait à ébullition, ajoutez le cacao dilué et laissez bouillir quelques instants.
Sucrez le cacao avec le miel et assaisonnez avec la vanille.
Versez le cacao dans une tasse, placez la crème fraîche à la surface et décorez avec le chocolat râpé.

Temps de préparation: 5 minutes
208 kcal/870 kJ

Thé aux pommes et aux fruits d'églantier

Ingrédients pour 2 personnes:
1 c. à c. de morceaux de pommes séchés
1 c. à c. de fruits d'églantier séchés
2 tasses d'eau
le zeste d'un quart de citron non traité
2 c. à c. de miel

Préparation:
Mêlez les fruits séchés et versez l'eau bouillante dessus. Ajoutez le zeste de citron râpé et laissez infuser le thé 10 minutes. Filtrez et sucrez avec le miel.

Temps de préparation: 5 minutes
Par personne: 32 kcal/134 kJ

Thé à la menthe et à l'orange

Ingrédients pour 1 personne:
1 c. à c. de feuilles de menthe
1 tasse d'eau
2 à 3 c. à s. de jus d'orange fraîchement pressé
1 c. à c. de miel

Préparation:
Versez de l'eau bouillante sur les feuilles de menthe, laissez infuser 5 minutes, passez le thé et ajoutez le jus d'orange. Sucrez avec le miel.

Temps de préparation: 5 minutes
46 kcal/192 kJ

Jus de légumes

Ingrédients pour 1/4 l:
200 g de céleri, 50 g de tomates
150 g de carottes, 50 g de betteraves rouges
le jus d'un demi-citron, 1 pincée de sel
1 pincée de poivre, du Tabasco

Préparation:
Nettoyez les légumes, lavez-les et coupez-les en petits morceaux.
Extrayez le jus à la centrifugeuse et ajoutez-y le jus de citron, le sel et le poivre, un peu de Tabasco et servez bien frais.

Temps de préparation: 15 minutes
Au total: 70 kcal/293 kJ

Lait aux fruits d'argousier

Ingrédients pour 4 personnes:
2 oranges, 1 citron
2 c. à s. de fruits d'argousier préparés (sucrés avec du miel)
1/2 l de lait entier

Préparation:
Pressez les oranges et le citron.
Mélangez leur jus aux fruits d'argousier et au lait entier, passez au mixer et servez immédiatement.

Temps de préparation: 5 minutes
Par personne: 130 kcal/544 kJ

En bas: jus de légumes (recette ci-dessus); au centre: café aromatisé (recette p. 28); en haut: cacao ''extra'' (recette p. 28).

Les en-cas

Sandwich à la carotte râpée

Ingrédients pour 2 personnes:
2 tranches de pain complet
2 c. à c. de beurre
1 petite carotte
1 c. à c. de mayonnaise
quelques rondelles d'oignon
1 pincée de sel marin
1 pincée de poivre

Préparation:
Beurrez les tranches de pain.
Lavez la carotte, épluchez-la, râpez-la finement et placez-la sur une tranche de pain. Etendez la mayonnaise dessus, ajoutez les rondelles d'oignon, salez, poivrez et recouvrez avec la deuxième tranche de pain. Coupez le sandwich en deux.

Temps de préparation: 10 minutes
Par personne: 174 kcal/728 kJ

Sandwich aux tomates et au cresson

Ingrédients pour 2 personnes:
2 tranches de pain complet
2 c. à c. de beurre
4 à 6 rondelles de tomate
1 pincée de sel marin
1 pincée de poivre
un peu de cresson

Préparation:
Etendez le beurre sur les tranches de pain. Disposez les tomates sur l'une des tranches, salez, poivrez et garnissez avec le cresson. Recouvrez avec l'autre tranche de pain et coupez le sandwich en deux.

Temps de préparation: 5 minutes
Par personne: 156 kcal/653 kJ

Céleriburger

Ingrédients pour 1 personne:
1 tranche de céleri-rave (environ 1 cm d'épaisseur)
de l'eau salée pour la cuisson
1 c. à s. de farine de froment complète
1/2 oeuf
1 c. à s. de panure
de l'huile pour la friture
1 petit pain à base de farine complète
1 c. à c. de beurre
2 feuilles de salade
quelques rondelles d'oignon

Préparation:
Lavez la tranche de céleri, faites-la cuire environ 15 minutes dans l'eau salée et laissez égoutter.
Retournez le céleri dans la farine complète, l'oeuf battu et la panure.
Faites dorer des deux côtés dans de l'huile très chaude.
Coupez le petit pain en deux, beurrez-le et garnissez la moitié inférieure avec les feuilles de salade. Placez dessus le céleri frit et les rondelles d'oignon, recouvrez avec la deuxième moitié du petit pain.

Temps de préparation: 15 minutes
484 kcal/2026 kJ

Salade de germes de blé

Ingrédients pour une personne:
2 c. à s. de grains de froment
1 petite carotte

Pour la sauce:
1/2 c. à c. de marmelade d'amandes
1 c. à c. de crème fraîche
1 c. à c. de jus de citron
1/2 c. à c. de miel

Préparation:
Faites germer le froment dans un appareil prévu à cet effet ou un bocal. Vous trouverez plus de détails à ce sujet dans le chapitre intitulé "Le müesli: le coup de fouet du matin" (cf. p. 4).
Versez les germes dans une passoire et passez-les sous l'eau froide. Nettoyez les carottes et râpez-les finement.
Mélangez-les avec les germes de blé.
Préparez une sauce avec la marmelade d'amandes, la crème fraîche, le jus de citron et le miel. Versez-la sur la salade de germes de blé et mélangez le tout.

Temps de préparation: 10 minutes
150 kcal/628 kJ

Gruau de sarrasin

Ingrédients pour 1 personne:
50 g de sarrasin
1/4 l d'eau
1 c. à c. de miel
1 c. à s. de raisins secs
1 pincée de cannelle

Préparation:
Laissez tremper les raisins une nuit.
Faites brunir légèrement le sarrasin dans une casserole en remuant constamment.
Versez l'eau et laissez cuire environ 20 minutes, en remuant souvent.
Sucrez avec le miel, ajoutez les raisins secs et saupoudrez de cannelle.

Temps de préparation: 5 minutes
247 kcal/1034 kJ

Crème au chocolat et au froment complet

Ingrédients pour 1 personne:
1/8 l de lait entier
25 g de froment finement moulu
1 c. à c. de cacao en poudre
1/2 c. à s. de noisettes hachées
1 c. à c. de miel
2 c. à s. de blancs d'oeufs battus
1 c. à s. de crème fouettée

Préparation:
Versez le lait dans une casserole.
Mélangez la farine de froment avec le cacao et incorporez-la au lait.
Portez à ébullition en remuant constamment et laissez cuire environ 5 minutes. Retirez du feu et laissez gonfler 10 minutes.
Sucrez avec le miel, ajoutez les noisettes et laissez refroidir.
Incorporez les blancs d'oeufs battus en neige très ferme et décorez avec la crème fraîche.

Temps de préparation: 15 minutes
235 kcal/984 kJ